From the Marches to the Sea

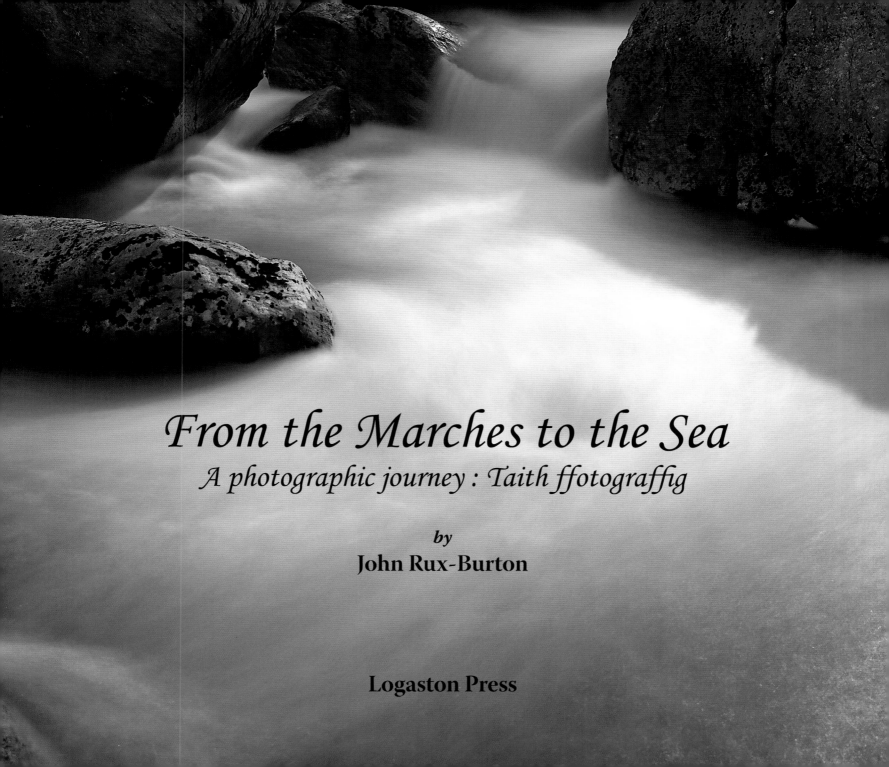

From the Marches to the Sea

A photographic journey : Taith ffotograffig

by

John Rux-Burton

Logaston Press

LOGASTON PRESS
Little Logaston Woonton Almeley
Herefordshire HR3 6QH
www.logastonpress.co.uk

Published by Logaston Press 2011
Copyright text and photographs © John Rux-Burton 2011
Welsh translation and proofing by Catrin Beard

ISBN 978 1 906663 56 8

Typeset by Logaston Press
and printed and bound in Poland
www.polskabook.pl

Front cover: Mist below Castell Crugerydd : Niwlen islaw Castell Crugerydd
Rear cover: Cardigan Bay : Bae Ceredigion
Front endpaper: Craig Goch Reservoir : Cronfa Craig Goch
Rear endpaper: Penygarreg Reservoir : Cronfa Penygarreg
Previous two pages: View from Hergest Ridge : Golygfa o Grib Hergest
Rock pool on the Claerwen : Pwll creigiog yn afon Claerwen
This page: The upper reaches of the Elan : Blaenau afon Elan

Contents : Cynnwys

Acknowledgements : Diolchiadau

'Sea-watching' from *Collected Poems 1945-1990* by R.S. Thomas, published by J.M. Dent, a division of the Orion Publishing Group, London; and 'A Winter's Tale' from *The Poems* by Dylan Thomas, published by Orion, reproduced with permission. The extract in Welsh from the *Mabinogion* is taken from *Y Mabinogion* by Dafydd a Rhiannon Ifans, published by Gomer, with permission.

Winter stream, Cwmystwyth : Nant aeafol, Cwmystwyth

Introduction

Of Place

The name I first thought of for this collection of images, its secret name, is *West of Nod*. For it is said that Adam and Eve were driven east into the Land of Nod, so to the west of Nod, therefore, lies Eden. Not that I want to make some wildly sentimental claim that mid-Wales is Eden. I don't believe Eden exists anywhere except in our heads. But what exists in our heads as Eden most definitely also exists in mid-Wales: beauty; a tended landscape that is natural and yet, as Capability Brown once said, 'nature improved'; peacefulness; wonder; a sense that all might soon be lost; still, small voices in the trees; the fluttering of angels' wings across the surface of the lakes; a light from Heaven on the hills.

Yet people still grow old and die here. The bills still need to be paid. The price of sheep at market is too low and the price of feed too high. The young are bored and restless on Friday night, and probably the other nights of the week too. So it's no Paradise – unless, like the ancients, we accept that, like the ordinary world, Paradise has its flaws, its losses. *Et in Arcadia ego.*

So this is what I have discovered: not a place of perfection, but a place where perfection may be glimpsed, out of the corner of the eye, obliquely, in a feeling, or a fleeting movement of light upon the land. In truth, it is not perfection in landscape that we witness, but the possibility, for an instant, of perfection in ourselves. Then, since we are human, it is gone. We fall again. But in that moment it was good to be back home.

Of Image

Whoever thinks that photographs record the real world has either never taken a picture, or has never held up the result against the world it supposedly portrays. Cameras let us tell stories about the world, sometimes sad, sometimes heroic, sometimes mundane and banal. But they are stories, and if they reveal truth, it is of the nature of allegory, simile and association, not fact. Of course, we cannot help but believe them true, for the similarities to what we perceive as real are so great. So a play is created between perception and illusion ... and in that space, truly exciting things can happen.

Perhaps, in a book like this, I can make you believe that, for the tiniest instant of a second, the world I saw really looked like that. It's not true. And yet also, it is true. Deceit and truth exist simultaneously in the same space. Though the image may be a beautiful lie, constructed by the choice of angle, shutter speed, aperture, colour balance, contrast, saturation, cropping, distortion – a myriad adjustments pre- and post-shot – that doesn't mean that what was in front of the lens was ugly. Often it was intensely beautiful, more beautiful than any photograph can show. It was a sight, a moment, of wondrous beauty made up of the light itself, reflected off billions of atoms; and the temperature, and whether I had my thermals on; and if I had had my breakfast; and whether my kids were being lovely or nightmares; and how my partner was, if there was a look of love and gladness for me in her face. In other words, what appears to have existed in front of the lens actually existed in my head, and in how I reacted to that scene. I could get no closer to reality than my camera can, which is nowhere near.

But I could take my camera, record the electrical impulses created on a sensor by the falling of light, manipulate how they fell and what I found within the resulting data file. And if I was lucky, whilst I could not record exactly either the scene before the lens or the scene within my head, I could produce an image which might transfer from me to a viewer a sense of the soul that was there, at that moment, in that place. Not truth (no Tree of Knowledge this), but something more than our ordinary ignorance of that which lies around and within us.

Of How

Most of the images here were shot using my Nikon D700. I principally used three lenses: a 14-24mm Nikkor 1.28G, a Nikkor 50mm AF-S1.4G and a Sigma APO 170-500mm f/5.6.6.3 (and, more, recently a Nikon AF-S 70-200mm f2.8 ED VR II). A couple of images were shot on my old 18-200 Nikkor, now, I am happy to say, reposing in the camera bag of one of my daughters, and Nikon's old 80-200mm, rather plastic but producing acceptable results, now used by my littlest girl.

I don't have a strict way of working any more. I used to go out with the idea that I would take a sunset shot, or candid street photos, or close-ups. That's fine to begin with. There is too much in the world, and homing in helps prevent overload. But now I want to range around, a hunter and a watcher. But though I don't have a particular way of working, I do try to look in a particular way. That is, I try not to look but to respond. When I took my first pictures forty years ago, the world was an unformed void of gas and dust. Then I learned to compose and to select, and I learned to see the photo that could be made from a scene in my mind's eye, before the camera was even out of the bag.

Then a few years ago, in a forest in Western Australia, I had a moment of epiphany. Western art is essentially concerned with Man's relationship with nature. This applies as much to Bacon as it does to Claude. But the indigenous art of what we call Australia is concerned with nature of which Man is part. The Rainbow Serpent consumes and regurgitates, and this cycle will transmute matter into many things: man, tree, kangaroo, flower. All is transient, all eternal. In that space lies a pre-lapsarian view of the world – the world abstract art also seeks. Though the pictures in this book are taxonomically named (tree and stream; frozen meadow; tree in fog), they are not taxonomically taken. They show, of course, patterns that will remind you of 'real' things. But they are not simply pictures of real things; they are pictures of shapes and combinations which to me seemed harmonious, emotion-provoking, sensuous. Michelangelo used stone for such a purpose. I use light, and to rather more modest effect, but I look for 'the angel inside' just the same.

If, sometimes, I have found that 'angel', perhaps you will too; then, for an instant, you will sense the Eden that I saw.

John Rux-Burton, April 2011

Cyflwyniad

Y lle

Yr enw cyntaf a ddaeth i fy meddwl ar gyfer y casgliad hwn o ddelweddau, ei enw cyfrin, yw I'r Gorllewin o Nod. Oherwydd dywedir i Adda ac Efa gael eu gyrru i'r dwyrain, i Dir Nod, felly i'r gorllewin o Nod mae Eden. Nid fy mod i am wneud honiad sentimental mai Eden yw canolbarth Cymru. Yn ein pennau yn unig y mae Eden yn bodoli. Ond mae'r Eden honno sy'n bodoli yn ein pennau heb os hefyd yn bodoli yng nghanolbarth Cymru: prydferthwch; tirwedd wedi'i thrin ac eto sy'n naturiol; ys dywedodd Capability Brown un tro, 'natur wedi'i gwella'; heddwch; rhyfeddod; ymdeimlad y gallai'r cyfan fynd ar goll cyn hir; lleisiau llonydd, main yn y coed; adenydd angylion yn gwibio ar draws arwyneb y llyn; goleuni'r Nefoedd ar y bryniau.

Ond eto, mae pobl yn heneiddio ac yn marw yma. Mae biliau angen eu talu; prisiau'r defaid yn y mart yn rhy isel a phris y porthiant yn rhy uchel. Mae'r ifanc yn ddiflas ac aflonydd ar nos Wener, heb sôn am nosweithiau eraill yr wythnos. Felly nid Paradwys yw hon — oni bai ein bod, fel ein hynafiaid, yn derbyn bod gan Baradwys ei beiau, ei cholledion, fel yn y byd cyffredin. Et in Arcadia ego.

Felly dyma'r wyf i wedi'i ddarganfod: nid lle perffaith, ond bro lle ceir cipolwg ar berffeithrwydd, o gornel y llygad, mewn teimlad, neu yn symudiad sydyn y golau ar y tir. Yn wir, nid perffeithrwydd o ran tirwedd a welwn, ond y posibilrwydd, am un ennyd fach, o berffeithrwydd ynom ni ein hunain. Yna, oherwydd mai dynol ydym ni, mae'n diflannu. Syrthiwn eto. Ond yn yr ennyd honno, roedd yn braf cael bod yn ôl adref.

Y ddelwedd

Mae'r sawl sy'n credu bod ffotograffau'n cofnodi'r byd real naill ai yn rhywun na dynnodd lun erioed, neu nad edrychodd ar lun ochr yn ochr â'r byd y mae'n ei bortreadu. Adrodd straeon am y byd y mae camerâu, weithiau'n drist, weithiau'n arwrol, weithiau'n ddinod a chyffredin. Ond straeon ydyn nhw, ac os ydyn nhw'n datgelu gwirionedd, yna alegori, cyffelybiaeth a chysylltiad yw'r gwirionedd hwnnw, ac nid ffaith. Wrth gwrs, mae'n anochel ein bod ni'n credu eu bod yn wir, gan eu bod mor debyg i'n canfyddiad ni o'r gwirionedd. Felly ceir chwarae rhwng canfyddiad a rhith ... ac yn y gofod hwnnw y digwydd y pethau cyffrous.

Efallai, mewn cyfrol fel hon, y gallaf i wneud i chi gredu, am yr ennyd leiaf erioed, fod y byd a welais yn edrych fel hyn mewn gwirionedd. Dyw hynny ddim yn wir. Ac eto, mae'n wir. Mae twyll a gwirionedd yn cyd-fodoli yn yr un gofod. Er bod y ddelwedd o bosibl yn gelwydd prydferth, a grëwyd drwy gyfuniad o'r ongl a ddewiswyd, cyflymder y caead, yr agoriad, cydbwysedd y lliw, cyferbyniad, dirlawnder, tocio, aflunio — myrdd o newidiadau cyn ac ar ôl saethu — dyw hynny ddim yn golygu bod yr hyn oedd o flaen y lens yn hyll. Yn aml roedd yn odidog o brydferth, yn fwy prydferth nag y gall unrhyw ffotograff ei bortreadu. Roedd yn olygfa, yn ennyd o brydferthwch rhyfeddol a grëwyd gan y golau a adlewyrchwyd oddi ar bilynnau o atomau; a'r tymheredd, ac a oeddwn i'n gwisgo fy thermals ai peidio; ac oeddwn i wedi cael brecwast; ac a oedd fy mhlant yn ymddwyn yn hyfryd ynteu'n hunllefus; a hwyliau fy mhartner, ac a oedd hi'n edrych arnaf â chariad a hoffter yn ei hwyneb ai peidio. Mewn geiriau eraill, roedd yr hyn oedd fel pe bai'n bodoli o flaen y lens mewn gwirionedd yn bodoli yn fy mhen i, ac yn y ffordd yr ymatebwn i i'r olygfa. Doedd dim modd i mi fynd yn agosach at y gwirionedd nag y gall fy nghamera, a dyw hynny ddim agos o gwbl.

Ond roeddwn i'n gallu mynd â fy nghamera, cofnodi'r ysgogiadau trydanol a grëwyd ar y synhwyrydd gan gwymp y golau, llywio'r modd roedden nhw'n syrthio ac ystumio'r hyn a welwn i o fewn y ffeil data. Ac os oeddwn i'n lwcus, er nad oedd modd i mi gofnodi'r union olygfa o flaen y lens na honno yn fy meddwl, roedd modd i mi gynhyrchu delwedd a allai drosglwyddo oddi wrthyf i i'r gwyliwr ymdeimlad o'r enaid oedd, ar yr ennyd honno, yn y lle hwnnw. Nid gwirionedd (nid Coeden Gwybodaeth yw hon), ond rhywbeth mwy na'n hanwybodaeth arferol am yr hyn sydd o'n cwmpas ac oddi mewn i ni.

Sut

Saethwyd y rhan fwyaf o'r delweddau ar fy Nikon D700. Defnyddiais dair lens yn bennaf: 14-24mm Nikkor 1.28G, Nikkor 50mm AF-S1.4G a Sigma APO 170-500mm f/5.6.6.3 (ac yn fwy diweddar Nikon AF-S 70-200mm f2.8 ED VR II). Saethwyd un neu ddwy o'r delweddau ar fy hen 18-200 Nikkor, sydd bellach, mae'n dda gen i ddweud, yn gorwedd ym mag camera un o fy merched, a hen 80-200mm Nikon, braidd yn blastig ond yn cynhyrchu lluniau derbyniol, sydd bellach yn cael ei ddefnyddio gan fy merch leiaf.

Does gen i ddim dull caeth o weithio erbyn hyn. Roeddwn i'n arfer cychwyn allan yn llawn fwriadu tynnu llun o'r machlud, neu ffotograffau stryd neu luniau agos. Mae hynny'n iawn i ddechrau. Mae gormod o bethau yn y byd, ac mae canolbwyntio yn osgoi gorlwytho. Bellach rwyf i am grwydro, bod yn heliwr ac yn wyliwr. Ond er nad oes gennyf ffordd benodol o weithio,

rwy'n ceisio edrych mewn modd arbennig. Hynny yw, rwy'n ceisio peidio ag edrych ond ymateb. Pan dynnais fy lluniau cyntaf ddeugain mlynedd yn ôl, roedd y byd yn wacter anffurfiedig o nwyon a llwch. Yna fe ddysgais gyfansoddi a dethol, a dysgu gweld y ffotograff y gellid ei chreu o olygfa yn fy meddwl, cyn bod y camera hyd yn oed allan o'r bag.

Yna rai blynyddoedd yn ôl, mewn fforest yng ngorllewin Awstralia, fe gefais agoriad llygad. Mae celf y Gorllewin yn ymwneud yn bennaf â pherthynas Dyn â natur. Mae hyn yr un mor wir am Bacon ag y mae am Claude. Ond mae celfyddyd gynhenid yr hyn a alwn ni yn Awstralia yn ymwneud â natur gyda Dyn yn rhan ohoni. Mae Sarff yr Enfys yn llyncu ac yn chwydu, ac mae'r cylch hwn yn trosi mater yn nifer o bethau: dyn, coeden, cangarŵ, blodyn. Mae popeth yn fyrhoedlog, popeth yn barhaol. Yn y gofod hwnnw ceir bydolwg cyn-gwympol o'r byd – y byd y mae celfyddyd haniaethol hefyd yn ei geisio. Er bod y lluniau yn y gyfrol hon wedi'u henwi'n dacsonomegol (coeden a nant; gweirglodd dan rew; coeden mewn niwl), nid yn dacsonomegol y'i tynnwyd. Wrth gwrs, mae ynddyn nhw batrymau a fydd yn eich atgoffa o bethau 'real'. Ond nid dim ond lluniau o bethau real ydyn nhw; maen nhw'n lluniau o siapau a chyfuniadau oedd yn ymddangos i mi yn gydseiniol, yn procio'r emosiynau, yn synhwyrus. Roedd Michelangelo yn defnyddio carreg i'r un diben. Rwyf i'n defnyddio golau, ar raddfa fwy dinod, ond rwyf innau'n chwilio am yr 'angel oddi mewn'.

Os, o bryd i'w gilydd, y byddaf i wedi dod o hyd i'r 'angel' hwnnw, yna efallai y gallwch chi hefyd; yna, am ennyd, byddwch chi'n synhwyro'r Eden a welais i.

John Rux-Burton, Ebrill 2011

Hergest : Hergest

Meadows, oak woods, wild flowers, black
and white villages, fast, dark, streams, high
ridgeways.

Arrivals and Departures. Borders.

Offa's Dyke, Mortimers & Vaughans,
Bryn Glas, Mike Oldfield.

England or Wales or a place of its own?

Dolydd, coedwigoedd deri, blodau gwyllt,
pentrefi du a gwyn, nentydd cyflym, tywyll,
cefnffyrdd uchel.

Cyrraedd ac Ymadael. Ffiniau.

Clawdd Offa, Mortimeriaid a Vaughaniaid,
Bryn Glas, Mike Oldfield.

Cymru, Lloegr ynteu rywle unigryw?

1   At the western end of Hergest Ridge :
    Pen gorllewinol Crib Hergest

Tree and rainbow, Bradnor Hill : Coeden ac enfys, Bryn Bradnor 2

The land around Hergest is a ribbon of hills dividing England and Wales. South is the River Wye, a natural and historic barrier. Beyond, the Black Mountains, intensely beautiful, but of a more daunting kind of beauty. North, valley follows hill follows valley, up the Offa's Dyke path all the way to the Montgomery Plain. In the sky: buzzards and kites, peregrines and goshawks. A place of high ridgeways, the hills low enough for practical trackways in ancient times, yet high enough so that one can see all the way from the Black Country far into the heart of Wales.

This is a rare kind of landscape, where Man is the exception, but nonetheless the countryside is relatively benign. The lack of habitation is not because life here is too hard to bear, unlike in the Welsh mountains where ruined farmhouses bear witness to human suffering and failure. Here is just a quiet country of farms and thoughtfulness. It is a land of 'bugles calling from sad shires', of 'blue remembered hills'.

This is what I found: Montgomery teashops run out of scones by half-past three. In Kington the height of excitement is the Christmas Fayre. Presteigne comes alive sometimes, especially if there is a concert at the Assembly Rooms (capacity 50). If snow closes all the roads into Knighton, you may see some farmer, tennis racquets strapped to his feet, walk into town, desperate for baccy ... What makes this place special is that, although its population is sparse, the hand of Man has intimately shaped it and continues to do so. High hedgerows guard little pastures in the valley. Cattle-grids keep the sheep up on the higher ground. Medieval stone barns dot the landscape, along with magnificent farmhouses framed by intricately patterned blackened oak.

George Borrow said that Presteigne was 'neither in England nor Wales ...'. At Bryn Glas the Welsh defeated the English, and at plenty of places it went the other way. But mostly it is a peaceful place that brings forth nostalgic sadness.

Housman wrote of this world:

> In my own shire, if I was sad,
> Homely comforters I had:
> The earth, because my heart was sore,
> Sorrowed for the son she bore;
> And standing hills, long to remain,
> Shared their short-lived comrade's pain
> And bound for the same bourn as I,
> On every road I wandered by,
> Trod beside me, close and dear,
> The beautiful and death-struck year:
> Whether in the woodland brown
> I heard the beechnut rustle down,
> And saw the purple crocus pale
> Flower about the autumn dale;
> Or littering far the fields of May
> Lady-smocks a-bleaching lay,
> And like a skylit water stood
> The bluebells in the azured wood.

And yet for him it was also 'the land of lost content'. It is easy to understand what might have made him feel that way – not simply his personal experience but the nature of the place. This land is an anachronism; it does not fit with how we live in the modern world. Forty years ago it seemed to me that it could not last a decade more. Forty years on, it is still there, still more or less as it was, and yet it seems as fragile, as unlikely, as it ever did. It is a borderland, neither one country nor another.

As the world goes on, it will probably always seem too implausible, too impractical, too different to endure ... and will probably outlast all else.

Rhuban o fryniau'n gwahanu Cymru a Lloegr yw'r tir o gwmpas ardal Hergest. I'r de rhed Afon Gwy, ffin naturiol a hanesyddol. Y tu hwnt, y Mynydd Du, â'i brydferthwch rhyfeddol, ond ag ynddo elfen frawychus. I'r gogledd, cyfres o ddyffrynnoedd a bryniau, ar hyd llwybr Clawdd Offa yr holl ffordd at Wastatir Trefaldwyn. Uwchlaw: boncathod a barcudiaid, yr hebog tramor a'r gwyddwalch. Cefnffyrdd uchel, bryniau oedd yn ddigon isel i gynnal llwybrau ymarferol yn yr hen ddyddiau, ond eto'n ddigon uchel fel bod modd gweld yr holl ffordd o'r Tir Du ymhell i galon Cymru.

Math prin o dirlun yw hwn, gyda Dyn yn eithriad, ond eto mae'n dirwedd gymharol dirion. Ychydig o bobl sy'n byw yma, ond nid am fod bywyd yn rhy galed: yn wahanol i fynyddoedd Cymru lle mae adfeilion ffermdai'n tystio i ddioddefaint a methiant dyn. Yma ceir bro dawel o ffermydd a myfyrdod. Tir y 'bugles calling from sad shires', a'r 'blue remembered hills'.

Dyma ddysgais i: mae siopau te Trefaldwyn yn gwerthu eu sgonau i gyd cyn hanner awr wedi tri. Yn Kington y cyffro mwyaf yw'r Ffair Nadolig. Daw Llanandras yn fyw ambell waith, yn enwedig os oes cyngerdd yn yr Ystafell Ymgynnull (lle i 50). Os yw'r eira'n cau'r holl ffyrdd i Knighton, efallai y gwelwch chi ffermwr, â racedi tenis am ei draed, yn cerdded i'r dref, yn awchu am faco … Yr hyn sy'n gwneud y lle'n arbennig yw er bod y boblogaeth mor brin, llaw Dyn sydd wedi'i ffurfio ac mae'n parhau i wneud hynny. Ceir gwrychoedd uchel i warchod porfeydd bach y dyffryn a gridiau gwartheg i gadw'r defaid ar y tir uwch. Ceir beudai carreg canoloesol ar draws y tir, ynghyd â ffermdai godidog â phren derw du patrymog yn eu haddurno.

Dywedodd George Borrow nad oedd Llanandras yng Nghymru nag yn Lloegr chwaith. Ym Mryn Glas trechodd y Cymry'r Saeson,

er mai'r ffordd arall yr aeth hi mewn mwy na digon o lefydd eraill. Ond yn bennaf, ardal dawel yw hon sy'n ennyn tristwch hiraethus.

Ysgrifennodd Housman am y byd hwn:

> In my own shire, if I was sad,
> Homely comforters I had:
> The earth, because my heart was sore,
> Sorrowed for the son she bore;
> And standing hills, long to remain,
> Shared their short-lived comrade's pain
> And bound for the same bourn as I,
> On every road I wandered by,
> Trod beside me, close and dear,
> The beautiful and death-struck year:
> Whether in the woodland brown
> I heard the beechnut rustle down,
> And saw the purple crocus pale
> Flower about the autumn dale;
> Or littering far the fields of May
> Lady-smocks a-bleaching lay,
> And like a skylit water stood
> The bluebells in the azured wood.

Ac eto, i Housman, dyma 'the land of lost content'. Hawdd deall pam y teimlai hyn – nid oherwydd ei brofiad personol yn unig ond natur y lle. Mae'n fro y tu allan i'w hamser, nad yw'n cydweddu â'n byd modern ni. Ddeugain mlynedd yn ôl ymddangosai na fyddai'n parhau'n hwy na degawd arall. Ddeugain mlynedd yn ddiweddarach, mae'n dal fwy neu lai fel y bu, ac eto mae i'w gweld yr un mor fregus, ac annhebygol, ag erioed. Tir y ffin yw hwn, nad yw'n perthyn i'r naill wlad na'r llall.

Gyda threigl amser, mae'n siŵr y bydd yn parhau'n rhy annhebygol, yn rhy anymarferol, yn rhy wahanol i oroesi … ac mae'n debyg y bydd yn parhau'n hirach na'r unman arall.

5   *Hedge and snow : Clawdd ac eira*

7   *Oak tree, Lower Harpton :*
    Derwen, Lower Harpton

Ice dripping off Monkey Puzzle tree, Hergest Ridge : Rhew yn diferu oddi ar Binwydd Chile, Crib Hergest   8

9   *Frozen meadow grass : Gweunwellt dan rew*

Gathering storm above Garbett Hall : Storm yn cronni dros Neuadd Garbett   10

11 *On the Slough road above Kington : Ar heol Slough uwchlaw Kington*

Oak tree, Slough road, Presteigne : Derwen, heol Slough, Llanandras 12

13   *Sunlit valley, looking towards Lower Harpton : Dyffryn heulog, yn edrych i gyfeiriad Lower Harpton*

15   *Snow storm near Church Town : Storm eira ger Church Town*

Winter sun near Church Town : Haul y gaeaf ger Church Town   16

17   Tree in silhouette : Silwét o goeden

Evening towards Radnor Forest : Gyda'r nos: Fforest Clud 18

Cross at Old Radnor : Croes ym Mhencraig

Fog, Bradnor Hill : Niwl, Bryn Bradnor 20

Radnor Forest : *Fforest Clud*

Conifer plantations, waterfalls, high grasslands,
stone-broken rills, forgotten castles.

Drovers' pubs and vistas.

Exposure.

Dingles and pathways.

Gateway.

Barricade.

*Planhigfeydd conifferaidd, rhaeadrau, glastiroedd
uchel, cornentydd, cestyll angof.*

Tafarnau'r porthmyn a'u golygfeydd.

Oerfel.

Glynnoedd a llwybrau.

Porth.

Baricêd.

21   *Branches and setting sun :*
      Canghennau a machlud haul

Some say the weather in Wales is rarely good. They are wrong on two counts. Firstly, it is often, on a summer's day, in the traditional sense, glorious. Blue skies, puffy clouds, insects buzzing among wild flowers in the stillness. Secondly, and much more importantly, for the rest of the year the weather is 'not good' only for those who have given up looking. When mist rises off lakes, when light scatters in clouds tumbling down through pines, when the land is cloaked with diamond shards some people call snow, when below the water's surface fallen leaves flash golden, when the storm clouds march towards you across the sky, a dark shadowy curtain of rain below, when the clouds part for an instant and shafts of warm sunlight fan out over the horizon, when the air is so cold and the clouds so thick and dark that the bare-branched trees turn purple ... then the weather is good.

Nowhere is this wondrous changeability more evident than in Radnor Forest. When the rest of Wales is damp and shivering on a near-zero night, the air may be crisp and clear, and the snow lying deep on Fronddyrys. The gritting lorries will come and go, but here, where a great wall of hills confront the weather spilling in from the West, tenaciously the ice will cling to the A44, making juggernauts slew and falter on the hairpin bends by Castell Crugerydd.

This is a place of towering ridges and stream-divided dells. On the heights are scatterings of sheep, white dots across slopes of billiard green. In the dingles, trees and magic.

My eldest daughter, when she was eight, far to the west, gathered stones left by mermaids on the beach below Cader Idris and placed them amongst the trees in the woods above, presents for the fairies. Now my younger daughters, climbing the path above the waterfall called Water-Break-its-Neck, have named the steep track the Fairy Path, and look for sprites and hobgoblins amongst the ferns and mushrooms.

All lies balanced in this place. Hill/valley; exposure/shelter; danger/safety; fences/pathways; a gateway to east and west/a barrier to anyone who tries to pass; harsh weather and struggle/ wonder and magic.

> And he came his way towards a river valley, and the bounds of the valley were forest, and on either side of the river, level meadows. And one side of the river he could see a flock of white sheep, and on the other side he could see a flock of black sheep. And as one of the white sheep bleated, one of the black sheep would come across, and would be white; and as one of the black sheep bleated, one of the white sheep would come across, and would be black. And he could see a tall tree on the river bank, and the one side of it was burning from its roots to its tip, and the other half with green leaves on it.

These words from the Mabinogion are almost a thousand years old, yet they still make sense in a place where one can never be certain if wizardry or a change of light deceives the eye, where there is a sense of that 'spirit in the woods' which Wordsworth found in Cumbria. A single tree against the sky can draw the eye to gaze for hours at the changing background of silver clouds and azure blue sky, and a simple branch lying in the snow is both firewood and memory, uncertainty and clarity. In the words of Edward Thomas:

> Out of the wood of thoughts that grow by night
> To be cut down by the sharp axe of light.

23

Yn ôl rhai, peth prin yw tywydd da yng Nghymru. Maen nhw'n anghywir ar ddau gyfrif. Yn gyntaf, yn aml ar ddiwrnod o haf, mae'n ogoneddus yn yr ystyr traddodiadol. Awyr las, cymylau gwlanog, pryfaid yn suo ymysg y blodau gwyllt. Yn ail, ac yn bwysicach, weddill y flwyddyn, dim ond y rheini sydd wedi rhoi'r gorau i edrych a all ddweud nad yw'r tywydd yn dda. Pan fydd y tarth yn codi o'r llynnoedd, y golau'n gwasgaru drwy'r cymylau sy'n disgyn drwy'r pinwydd, pan fydd y tir wedi'i orchuddio â diemwntau a elwir gan rai yn eira, pan fydd dail yn fflachio'n aur dan wyneb y dŵr, pan fydd cymylau'r storm yn dynesu ar draws yr awyr, gyda llen tywyll cysgodol o law oddi tanynt, pan fydd y cymylau'n gwahanu am ennyd gan adael i golofnau o heulwen gynnes estyn am y gorwel, pan fydd yr awyr mor oer a'r cymylau mor drwchus a thywyll nes bod y coed noeth yn troi'n borffor … yna mae'r tywydd yn dda.

Does yr un man yn tystio i'r newidiadau rhyfeddol hyn yn well na Fforest Clud. Pan fydd gweddill Cymru'n llaith ac yn crynu drwy oerfel y nos, mae'n ddigon posib y ceir awyr clir a ffres a thrwch o eira yn Fronddyrys. Mae'r lorïau graeanu'n mynd ac yn dod, ond yma, gyda mur helaeth o fryniau'n wynebu'r tywydd sy'n dod o'r Gorllewin, fe lyna'r iâ ar yr A44, gan beri i'r cerbydau mawr lithro a nogio ar y troeon cul ger Castell Crugerydd.

Dyma dir o gefnennau uchel, glynnoedd a nentydd. Ar yr ucheldir-oedd ceir defaid gwasgaredig, dim mwy na marciau bach gwyn ar lethrau gwyrdd fel lliain biliards. Yn y ceunentydd, coed a hud.

A hithau'n wyth oed, ymhell i'r gorllewin, bu fy merch hynaf yn casglu cerrig a adawyd gan forforynion ar y traeth islaw Cader Idris gan eu gosod ymysg y coed yn y goedwig uwchlaw, yn anrhegion i'r tylwyth teg. Ac yn awr dyma fy merched ieuengaf, wrth ddringo'r llwybr serth uwchlaw rhaeadr Torfynyglu, yn rhoi enw Llwybr y Tylwyth Teg arno, gan edrych am ellyllon a choblynnod ymysg y rhedyn a'r madarch.

Yn y fan hon mae popeth yn gytbwys. Bryn/dyffryn; ehangder/cysgod; perygl/diogelwch; cloddiau/llwybrau; porth i'r dwyrain a'r gorllewin/rhwystr i'r sawl sy'n ceisio croesi; tywydd garw a brwydro/rhyfeddod, hud a lledrith.

> A daeth yntau yn ei flaen tua dyffryn afon, ac yr oedd ymylon y dyffryn yn goedwig ac o boptu i'r afon yn weirgloddiau gwastad. Ac ar y naill ochr i'r afon fe welai braidd o ddefaid gwynion ac ar yr ochr arall fe welai braidd o ddefaid duon. Ac fel y brefai un o'r defaid gwynion fe ddeuai un o'r defaid duon drosodd ac fe fyddai'n wen, ac fel y brefai un o'r defaid duon fe ddeuai un o'r defaid gwynion drosodd ac fe fyddai'n ddu. Ac ar lan yr afon fe welai goeden dal, ac yr oedd y naill hanner ohoni yn llosgi o'r gwraidd hyd ei brig a'r hanner arall a dail ir arni.

Ysgrifennwyd y geiriau hyn yn y Mabinogi bron i fil o flynyddoedd yn ôl, ond maen nhw'n dal i wneud synnwyr pan fydd hi'n amhosibl gwybod ai hud ynteu newid yn y golau sy'n twyllo'r llygad, mewn man lle ceir ymdeimlad o 'ysbryd yn y coed' fel y canfu Wordsworth yn ardal Cumbria. Gall un goeden yn erbyn yr awyr dynnu'r llygad i syllu am oriau ar y cefndir newidiol o gymylau arian a wybren las, ac mae cangen syml yn yr eira yn goed tân ac yn atgof, yn ansicrwydd ac yn eglurder. Ys dywedodd Edward Thomas:

> Out of the wood of thoughts that grow by night
> To be cut down by the sharp axe of light.

25   *After-glow above Water-Break-its-Neck : Ôl-dywyn uwchlaw Torfynyglu*

Winter scene near New Radnor : Golygfa aeafol ger Maesyfed   26

27   *Mist below Castell Crugerydd* : *Niwlen islaw Castell Crugerydd*

Tree and storm, The Whimble : *Coeden a storm, Y Whimble*   28

31   *Water-Break-its-Neck:*
     Torfynyglu

33 *Tree trunk near Water-Break-its-Neck* : *Boncyff coeden ger Torfynyglu*

Fern and stream near Water-Break-its-Neck : Rhedyn a nant ger Torfynyglu   34

35   *Log and stream near Water-Break-its-Neck: Boncyff a nant ger Torfynyglu*

Stream and leaves near Water-Break-its-Neck : Nant a dail ger Torfynyglu 36

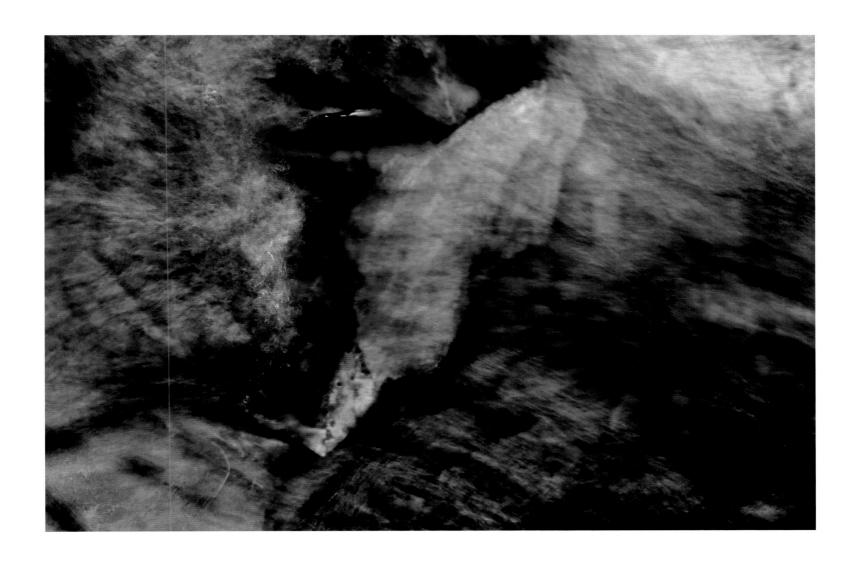

37   *Stream and leaves near Water-Break-its-Neck:* Nant a dail ger Torfynyglu

39   *Trees near Water-Break-its-Neck* : *Coed ger Torfynyglu*

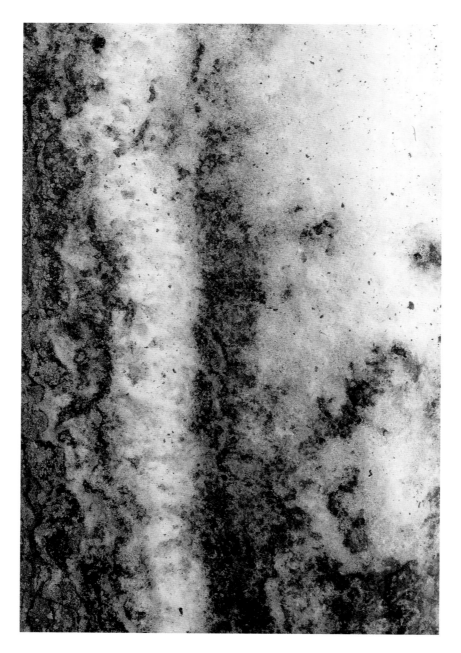

Bark and snow : Rhisgl ac eira 40

41   *Trees near Water-Break-its-Neck :* *Coed ger Torfynyglu*

Snow storm and sunset, Castell Crugerydd : Storm eira a machlud, Castell Crugerydd 42

Elan Valley : Cwm Elan

Dams and Dambusters, lakes and moorland,
springs and cisterns, islands and marshes.

Lichens, mosses, ferns.

Plantations and ancient oakwoods.

Lost villages.

Shelley and Borrow.

Kites on air and air in abundance.

Space.

Argaeau a 'Dambusters', llynnoedd a gweundir,
tarddellau a sestonau, ynysoedd a chorsydd.

Cen, mwsogl, rhedyn.

Planhigfeydd a choedwigoedd hynafol.

Pentrefi coll.

Shelley a Borrow.

Barcudiaid yn hedfan a digonedd o awyr.

Gofod.

Craig Goch Reservoir : Cronfa Craig Goch   44

The valleys of the Elan and Claerwen rivers are deep in water, dammed, their villages and chapels, farms and mills ghosts beneath the surface. The toil to build these dams was massive. A railway was built, and a temporary village to house the workers, and even a smaller dam constructed to slake their thirst as they toiled on these massive projects. The village is long gone, but the dam remains, though shattered by experiments conducted by Barnes Wallace in the preparations for the Dambusters Raid.

Later, commercial forestry came to the valley. Many of the native woodlands remain, and many slopes are too steep for planting, but some are thick with spruce. From these plantations some days come the deep rumbles of tractor units and the high-pitched screams of chainsaws.

But all this industrial activity has not spoilt this place, for nature there is far too powerful. Streams make deep cuts through steep slopes of grass and heather. Oak woods stretch from tree-line to lakeside. Pastureland picks out pockets in the floors of cwms. Outcrops of stone serrate the tops of hills, sheltering remnants of snow deep into the spring.

Through the valleys, lime-washed longhouses mark the struggle of Man to make a living in this wild place. The deeper one goes into these mountains, the more sporadic are the farms, until ruins are more common than habitations, lifetimes of struggle not enough in the face of such austerity.

Naturally, it is the summer that brings visitors to this place, and on a winter's day it can be almost deserted. But when the rocks are thick with ice, or when the trees are gold in autumn leaves and light, or when the bluebells and the daffodils and the snow-drops and the primroses poke through the earth, these are the times of greatest magic.

This is a place to walk. Nothing good can be done by car here, for the valley seems most itself when the wind is ruffling up sleeves, there is a little squall of rain upon the cheek, the sun is low in the sky, making the eyes squint into the light, there is the dank smell of vegetation beneath a stand of birch, and you draw a cup of ice-cold water from a waterfall-filled cistern.

And when the walk is done, when the feet are tired, and the shoulders ache from a pack, and the knees are sore from going up all those hills and the calves from coming down, when your nose is as red as a fire engine from the cold and you cannot feel your fingers or your toes, then there is a fireside, and tea and Welsh cakes, and toast with anchovy paste, and fruit cake, and you know you are 'in the cup of the vales' again.

It is a winter's tale
That the snow blind twilight ferries over the lakes
And floating fields from the farm in the cup of the vales,
Gliding windless through the hand folded flakes,
The pale breath of cattle at the stealthy sail,

And the stars falling cold,
And the smell of hay in the snow, and the far owl
Warning among the folds, and the frozen hold
Flocked with the sheep white smoke of the farm house cowl
In the river wended vales where the tale was told.

Dylan Thomas

Mae cymoedd afonydd Elan a Chlaerwen yn ddwfn yn y dŵr, eu pentrefi a'u capeli, eu ffermydd a'u melinau'n ysbrydion dan yr wyneb. Tasg anferth oedd codi'r argaeau hyn. Adeiladwyd rheilffordd, a phentref dros dro i letya'r gweithwyr, a hyd yn oed argae llai o faint i dorri eu syched wrth lafurio ar y prosiectau anferth. Mae'r pentref wedi hen ddiflannu, ond mae'r argae yno o hyd, er iddo gael ei ddryllio gan brofion Barnes Wallace wrth baratoi at Gyrch y 'Dambusters'.

Yn ddiweddarach, cyrhaeddodd coedwigaeth fasnachol y cwm. Goroesodd llawer o'r coedwigoedd cynhenid, gyda llawer o'r llethrau'n rhy serth i blannu arnynt, ond mae eraill yn drwch o byrwydd. O'r planhigfeydd hyn o dro i'w gilydd daw dwndwr dwfn y tractorau a gwichian uchel y llif gadwyn.

Ond dyw'r holl weithgarwch diwydiannol ddim wedi difetha'r lle, gan fod natur yn llawer rhy bwerus yno, gyda nentydd yn torri'n ddwfn drwy lethrau serth o wair a grug, coedwigoedd deri yn estyn o linell y coed at lan y llyn. Ceir pocedi o borfa ar lawr y cymoedd, a cherrig yn brigo copaon y bryniau gan gysgodi gweddillion olaf yr eira ym misoedd y gwanwyn.

Drwy'r cymoedd, ceir tai hir gwyngalchog yn nodi ymdrech Dyn i sicrhau bywoliaeth yn y tir gwyllt hwn. Wrth dreiddio ymhellach i'r mynyddoedd, prinhau mae'r ffermydd, nes bod adfeilion yn fwy cyffredin nag anheddau. Nid yw oesoedd o frwydro'n ddigon yn wyneb y fath lymder.

Yn naturiol, yr haf sy'n denu ymwelwyr i'r ardal, ac yng nghanol gaeaf gall fod yn gwbl anghyfannedd. Ond pan fydd y creigiau'n drwch o iâ, neu pan fydd y coed yn euraidd yng ngoleuni a dail yr hydref, neu pan fydd clychau'r gog a chennin pedr ac eirlysiau a briallu'n dechrau ymddangos, dyma'r amseroedd mwyaf hudol.

Lle i gerdded yw hwn. Does dim modd gwneud dim o werth â char yma. Mae'r cwm ar ei orau pan fydd y gwynt yn tynnu ar eich llawes, gyda chawod o law ar eich boch, a'r haul isel yn yr awyr yn dallu'r llygaid; pan fydd sawr llaith llystyfiant yn codi o res o goed bedw, a chwpaned o ddŵr rhewllyd o'r rhaeadr wedi'i dynnu o seston yn torri syched.

A phan fydd y dro ar ben, y traed yn flinedig a'r ysgwyddau'n gwingo dan bwysau'r pac, y pengliniau'n dolurio ar ôl dringo'r bryniau a chroth y goes ar ôl dod i lawr, pan fydd eich trwyn mor goch ag injan dân oherwydd yr oerfel a dim teimlad i'w gael yn eich bysedd a'ch traed, cewch ddynesu at y tân am baned a chacen gri, tost ag enllyn brwyniad, a theisen ffrwythau, ac yna fe deimlwch unwaith eto eich bod yn ôl yng 'nghwpan y cymoedd'.

It is a winter's tale
That the snow blind twilight ferries over the lakes
And floating fields from the farm in the cup of the vales,
Gliding windless through the hand folded flakes,
The pale breath of cattle at the stealthy sail,

And the stars falling cold,
And the smell of hay in the snow, and the far owl
Warning among the folds, and the frozen hold
Flocked with the sheep white smoke of the farm house cowl
In the river wended vales where the tale was told.

Dylan Thomas

47   *Above Penygarreg Reservoir : Uwchlaw Cronfa Penygarreg*

Moonrise, Caban-coch Reservoir : Y lleuad yn codi, Cronfa Caban-coch   48

49   *Caban-coch Reservoir : Cronfa Caban-coch*

Frozen trees, Caban-coch Reservoir : Coed wedi rhewi, Cronfa Caban-coch 50

51   *Carreg-ddu Reservoir : Cronfa Carreg-ddu*

Frozen stream, Elan Valley : Nant wedi rhewi, Cwm Elan   52

53   *Icicles, Elan Valley : Pibonwy, Cwm Elan*

Stream and snow, Elan Valley : Nant ac eira, Cwm Elan   54

55   *Penygarreg Reservoir : Cronfa Penygarreg*

The Elan below Penygarreg dam : Afon Elan islaw argae Penygarreg 56

Headwaters of the Elan : Blaenddwr afon Elan

Fallen tree and stream near the head of Craig Goch Reservoir : Coeden wedi cwympo a nant ger Cronfa Craig Goch   *58*

59   *Waterfall and ferns, Elan Valley : Rhaeadr a rhedyn, Cwm Elan*

61   *Rocks in the Claerwen : Creigiau yn afon Claerwen*

63   *Red Kite : Barcud Coch*

65   *Autumn colours near Craig Goch Reservoir : Lliwiau'r hydref ger Cronfa Craig Goch*

Leaves and stream, Elan Valley : Dail a nant, Cwm Elan   66

67   *Leaves and stream, Elan Valley : Dail a nant, Cwm Elan*

Looking out of Penygarreg dam : Edrych allan o argae Penygarreg 68

69 *Tunnel inside Penygarreg dam :*
    Twnnel yng nghrombil argae Penygarreg

71   *Near Elan village : Ger pentref Elan*

Tree near Penygarreg dam : Coeden ger argae Penygarreg   72

73   *The Elan below Penygarreg dam : Afon Elan islaw argae Penygarreg*

Fallen twigs in woods by Penygarreg dam : Brigau yn y goedwig ger argae Penygarreg 74

75   *Broken trunk in woods by Penygarreg dam : Boncyff drylliedig yn y goedwig ger Penygarreg*

Sunset, Craig Goch Reservoir : Y machlud, Cronfa Craig Goch 76

77 *Looking towards the Elan Valley from near Nantmel : Edrych i gyfeiriad Cwm Elan o gyffiniau Nantmel*

Winter afternoon above Penygarreg Reservoir : Prynhawn gaeafol uwchlaw Cronfa Penygarreg   78

79   *Hill and sun above Penygarreg Reservoir : Bryn a'r haul uwchlaw Cronfa Penygarreg*

Near the Roman camp above the Mountain Road : Ger y gwersyll Rhufeinig uwchlaw Ffordd y Mynydd   80

81   *Craig Goch Reservoir : Cronfa Craig Goch*

Winter sky, Penygarreg Reservoir : Wybren aeafol, Cronfa Penygarreg   82

Running down to the Sea :
Rhedeg i lawr at y môr

Mines, slate and scree.

High waterfalls and low gorges.

Caves and ruins.

Steam trains and trippers.

Pastures and upland wetlands.

A journey nearly done.

Cloddfeydd, llechi a sgri.

Rhaeadrau uchel a cheunentydd isel.

Ogofâu ac adfeilion.

Trenau stêm ac ymwelwyr.

Porfeydd a gwlypdiroedd yr ucheldir.

Y daith bron ar ben.

Ruined farmhouse : Adfail ffermdy 84

It could be a scene from a 1970s episode of Dr Who, except that 1970s Dr Who normally involves a fit girl, a man with a luvvie accent and half a dozen extras in tin foil and polystyrene suits. Cwmystwyth is barely inhabited: a small campsite by the Ystwyth, a couple of houses, a few farms and a pottery. But in this place are the ruins of an industrial age.

The Ordnance Survey says this is the centre of Wales. This may seem bizarre, since from the village to the sea is only eighteen and a half miles. It only becomes intelligible if one looks at a map and sees the Lleyn Peninsula to the north and Pembrokeshire to the south sticking out into the Irish Sea. If you take the farthest points west and join them to the points farthest east, you suddenly realise that Cwmystwyth is at the heart of Wales.

It is so appropriate that Cwmystwyth is the central point of this country. Industry has scarred it, and yet the site is historic and protected, because there is a pride in what men (and, sadly, women and children too) did there for centuries. It has the spirit of the Valleys, of the Big Pit at Blaenavon, Ebbw Vale and Pontypridd and Maesteg: that mixture of horror at the harshness of the work and glory at the mastering of it.

Only ghosts are left in Cwmystwyth now, and the shot-out remains of pumping stations and engine-houses. If you go there at nightfall you can feel the loneliness and loss.

Ghosts also roam the woods of Hafod, a little further down the Ystwyth. Hafod means 'summer pasture' and for thousands of years cattle must have grazed this land, when the snow was gone and the bees moved among the wild flowers of the meadows. Thomas Johnes took the gorge of the Ystwyth and the surrounding cwms formed by its tributaries and created one of Britain's finest Picturesque landscapes. He built a mansion too, so he could enjoy it. It's all in ruins now, but the paths have been restored right up to the 'grotto', where a waterfall falls through a wonderful cavern before plummeting through a tight gorge of rock slabs down to the Ystwyth. For me, it is like the mines above, a haunted, beautiful place of faded glories. A place where nature is over-running the hand of Man: Ozymandias in a narrow little Welsh valley. In a sense, this is a journey ending, here where the mountains give way to Man, but where Man has been undone.

Beyond, the world takes over once more. A return to 'civilisation' whatever that means: Devil's Bridge and the famous waterfalls, the chuffing little trains on the Vale of Rheidol line and then a slowly straightening and widening road that rejoins the Ystwyth where it meets the sea. Best not to take the road, but to hop in a carriage and be carried down. It's slow and bumpy and the train lets in the elements on a cold day and the seats are hard, but when you pull into Aberystwyth there is a sense that a journey has ended, here, where no more land will come and all that there is left to do is eat fish and chips and throw a stone into the sea, and hope that it will skip once or twice before it's gone.

Gallai fod yn olygfa o Dr Who yn y 1970au, ar wahân i'r ffaith fod Dr Who fel arfer yn cynnwys merch ffit, dyn ag acen rodresgar a hanner dwsin o extras mewn siwtiau ffoil a pholystyren. Prin fod neb i'w weld yng Nghwmystwyth: cae gwersylla bach ger afon Ystwyth, tŷ neu ddau, cwpwl o ffermydd a chrochendy. Ond yn y lle hwn ceir adfeilion oes ddiwydiannol.

Dywed yr Arolwg Ordnans mai yn y fan hon y mae canol Cymru. Mae hynny'n rhyfedd o ystyried mai prin ddeunaw milltir a hanner yw'r môr o'r pentref hwn. Ond mae'n gwneud synnwyr os edrychwch chi ar fap a gweld Penrhyn Llŷn i'r gogledd a Sir Benfro i'r de yn estyn ymhell i Fôr Iwerddon. Os cymerwch chi'r pwyntiau pellaf i'r gorllewin a'u cysylltu â'r pwyntiau pellaf i'r dwyrain, fe sylweddolwch chi mai Cwmystwyth yw calon Cymru.

Mae'n briodol mai Cwmystwyth yw canolbwynt y wlad hon. Mae diwydiant wedi creithio'r fro, ac eto mae'r safle'n hanesyddol ac wedi'i warchod, oherwydd y balchder yn yr hyn a wnaeth dynion (a menywod a phlant hefyd ysywaeth) yma dros y canrifoedd. Mae ysbryd y Cymoedd yma, ysbryd Pwll Mawr Baenafon, Glyn Ebwy a Phontypridd a Maesteg: y cyfuniad hwnnw o arswyd at enbydrwydd y gwaith a'r gorfoledd yn sgil ei feistroli.

Dim ond ysbrydion sydd ar ôl yng Nghwmystwyth bellach, ac adfeilion y gorsafoedd pwmpio a'r tai injan. Os ewch chi yno gyda'r nos, gallwch deimlo'r unigrwydd a'r golled.

Ychydig yn is i lawr afon Ystwyth ceir ysbrydion yng nghoed-wigoedd yr Hafod hefyd. Porfa'r haf yw ystyr Hafod a diau fod gwartheg wedi pori'r tir hwn ers miloedd o flynyddoedd, wrth i'r eira ddiflannu a'r gwenyn suo drwy flodau gwyllt y dolydd. Yng ngheunant afon Ystwyth a'r cymoedd a grëwyd o'i chwmpas gan ei llednentydd creodd Thomas Johnes un o dirluniau Pictiwrésg mwyaf godidog Prydain. Adeiladodd blasty hefyd iddo gael mwynhau'r olygfa. Mae'r cyfan yn adfail bellach, ond adnewyddwyd y llwybrau'r holl ffordd at y 'groto', lle ceir rhaeadr sy'n cwympo drwy geudwll godidog ac i lawr drwy geunant cul o lechfeini at afon Ystwyth. I mi, mae'n ymdebygu i'r cloddfeydd ar y tir uwch, yn safle prydferth ag ysbrydion yn adleisio'r ysblander a fu. Llecyn ble mae natur yn goddiweddyd Dyn: Ozymandias mewn cwm cul yng Nghymru. Mewn un ystyr, mae'n ddiwedd taith, yma lle mae'r mynyddoedd yn ildio i Ddyn, ond lle mae Dyn wedi'i ddadwneud.

Y tu hwnt i'r fan hon, rydym ni'n ôl yn y byd. Dychwelyd i 'wareiddiad', beth bynnag yw hynny: Pontarfynach a'r rhaeadrau enwog, trenau bach cul Cwm Rheidol ac yna ffordd sy'n sythu'n raddol ac yn lledaenu wrth ailymuno ag afon Ystwyth lle mae'n cwrdd â'r môr. Mae'n well peidio â mynd ar hyd y ffordd, ond neidio ar gerbyd chael eich cludo i lawr. Mae'n araf ac yn sigl-edig gyda'r elfennau'n gafael wrth deithio ar seddi caled y trên ar ddiwrnod oer, ond wrth dynnu i mewn i orsaf Aberystwyth fe deimlwch fod taith yn dod i ben, yma, lle nad oes mwy o dir i ddod, a'r cyfan sydd ar ôl i'w wneud yw bwyta pysgod a sglodion a thaflu carreg i'r môr gan obeithio y gwnaiff neidio unwaith neu ddwy cyn diflannu.

Bracken and trees : Rhedyn a choed

Below the bridge, Cwmystwyth : O dan y bont, Cwmystwyth   88

89   *View up the Ystwyth : Edrych i fyny afon Ystwyth*

Tree above Cwmystwyth : Coeden uwchlaw Cwmystwyth 90

91 *Tree above Cwmystwyth : Coeden uwchlaw Cwmystwyth*

The Ystwyth in winter : Afon Ystwyth yn y gaeaf 92

93   *Graig Goch near Cwmystwyth : Graig Goch ger Cwmystwyth*

95   *Bluebells near Devil's Bridge : Clychau'r Gog ger Pontarfynach*

97   *Pastures, Hafod : Porfeydd, yr Hafod*

Stream, Hafod : Nant, yr Hafod 98

99   *Stream, Hafod : Nant, yr Hafod*

101   *Gorge below the Cavern, Hafod : Ceunant o dan y Ceudwll, yr Hafod*

103   *Looking towards Cefn Coch, close up : Edrych i gyfeiriad Cefn Coch, yn agos*

Rockface and water spout, Devil's Bridge : Wyneb y graig a phistyll, Pontarfynach   104

105 *Train, Vale of Rheidol Railway, pulling out of Devil's Bridge : Trên, Rheilffordd Cwm Rheidol, yn gadael Pontarfynach*

Vale of Rheidol : Cwm Rheidol 106

Sea : Y Môr

Terminus.

Point of return.

Counter-point.

Reduction.

Horizon.

Terfynfa.

Man dychwelyd.

Gwrthbwynt.

Lleihau.

Gorwel.

107   *Winter sunlight, Cardigan Bay :*
      Haul y gaeaf, Bae Ceredigion

This book is not about the sea; it cannot be, for that is another place. The sea is a place of effacement, each wave wiping away the wave preceding, sandcastles slipping seaward, and in turn returning to land. Horizons obscured by mist and revealed by wind and sun.

It is a place, as R.S. Thomas realised, where the significant is rare, and will always occur when the gaze is turned aside. There is a space in the corner of the eye where things that cannot be viewed straight are glimpsed fleetingly. The sea is such a space. The space between camera and eye, subject and lens, image and imagination. The moments between spaces that last but a flick of the shutter.

The sea is another book. But the reverse of nothing is something, and spacelessness is defined by space. It is my watching and praying.

And with any journey, there must always be a return, from significance to insignificance, Eden to Nod and, often too fleetingly, Nod to Eden.

Sea-Watching

Grey waters, vast
                as an area of prayer
that one enters. Daily
                over a period of years
I have let my eye rest on them.
Was I waiting for something?
                                Nothing
but that continuous waving
                that is without meaning
occurred.
                Ah, but a rare bird is
rare. It is when one is not looking
at times one is not there
                                that it comes.
You must wear your eyes out
as others their knees.
                I became the hermit
of the rocks, habited with the wind
and the mist. There were days,
so beautiful the emptiness
it might have filled,
                                its absence
was as its presence; not to be told
any more, so single my mind
after its long fast,
                my watching from praying.

R.S. Thomas

Nid cyfrol am y môr yw hon; all hi ddim bod, oherwydd lle arall yw hwnnw. Man sy'n dileu yw'r môr, gyda phob ton yn sgubo'i rhagflaenydd i ffwrdd, cestyll tywod yn llithro i'r dŵr, ac yn eu tro'n dychwelyd i'r tir. Gorwelion ar goll yn y niwl yn cael eu datguddio gan y gwynt a'r glaw.

Fel y sylweddolodd R.S. Thomas, mae'n fan ble mae pethau arwyddocaol yn brin, ac yn digwydd bob amser pan fydd y golygon yn troi o'r neilltu. Mae gofod yng nghornel y llygad lle ceir cipolwg sydyn ar yr hyn nad oes modd ei weld yn syth. Lle fel hyn yw'r môr. Y gofod rhwng y camera a'r llygad, gwrthrych a lens, delwedd a dychymyg. Yr ennyd rhwng gofodau sy'n ddim hirach na chlic y camera.

Cyfrol arall yw'r môr. Ond y gwrthwyneb i ddim byd yw rhywbeth, a chaiff diffyg gofod ei ddiffinio gan fodolaeth gofod. Fy ngwylio a fy ngweddïo i.

A chydag unrhyw daith, rhaid dychwelyd bob tro, o arwyddocâd i ddinodedd, Eden i Nod, ac am un ennyd achlysurol yn unig, o Nod i Eden.

Sea-Watching

Grey waters, vast
              as an area of prayer
that one enters. Daily
              over a period of years
I have let my eye rest on them.
Was I waiting for something?
                            Nothing
but that continuous waving
              that is without meaning
occurred.
              Ah, but a rare bird is
rare. It is when one is not looking
at times one is not there
                            that it comes.
You must wear your eyes out
as others their knees.
              I became the hermit
of the rocks, habited with the wind
and the mist. There were days,
so beautiful the emptiness
it might have filled,
                            its absence
was as its presence; not to be told
any more, so single my mind
after its long fast,
              my watching from praying.

R.S. Thomas

Harbour light, Aberystwyth : Golau'r harbwr, Aberystwyth   *114*

115　*Rocks near the harbour light : Creigiau ger golau'r harbwr*

Sunrise, Aberystwyth : Y wawr, Aberystwyth   116

117   Sunset, Cardigan Bay : *Y machlud, Bae Ceredigion*

If you wish to obtain fine art, limited edition prints of the images from the book and my work elsewhere in the UK, Europe, Far East and Australia please visit my website www.semaphorephotography.co.uk.

If you are interested in the technical details, on the website you can also find the EXIF (technical data like ISO, shutter speed, lens used etc.) for all of the images in this book.

The website also provides details of forthcoming exhibitions and books. You can also follow my work on Facebook and Twitter.

Os hoffech chi gael un o nifer cyfyngedig o brintiau celf gain o'r delweddau yn y gyfrol hon a fy ngwaith mewn mannau eraill yn y DU, Ewrop, y Dwyrain Pell ac Awstralia, ewch i www.semaphorephotography.co.uk.

Os oes diddordeb gennych chi yn y manylion technegol, ar y wefan fe welwch yr EXIF (data technegol fel ISO, cyfraddiad cyflymder, y lens a ddefnyddiwyd ac ati) ar gyfer holl ddelweddau'r gyfrol.

Ceir manylion am unrhyw arddangosfeydd a chyfrolau eraill sydd ar y gweill ar y wefan. Gallwch ddilyn fy ngwaith ar Facebook a Twitter.